# Petite poule rousse

Texte adapté par Natacha Godeau

AUZOU

Il était une fois, au cœur des bois, une jolie maisonnette aux rideaux fleuris et au parquet ciré. Petite poule rousse habitait là, tenant son logis avec soin. Elle aimait que tout soit propre et bien rangé, du tiroir du buffet à la boîte à bobines. Car Petite poule rousse, en plus d'excellente ménagère, était excellente couturière.

« Pousse mon dé, pique l'aiguille, je reprise, je reprise ! » chantonnait-elle ce jour-là en raccommodant le bonnet d'une amie.

Son travail terminé, elle rangea son fil et ses ciseaux dans la poche de son tablier, puis elle alla sous l'auvent chercher une bûche pour la cheminée. Elle ne se doutait pas que, caché derrière un arbre, Père Renard l'observait...

Il rêvait depuis si longtemps d'en faire son dîner ! Mais Petite poule rousse connaissait l'appétit de son voisin. Elle fermait toujours sa porte à double tour, ne s'éloignait pas de chez elle. Bref, elle se montrait très prudente… au grand regret de Père Renard !

Chaque soir, dans leur refuge de la colline,
Mère Renard demandait :
« Que nous rapportes-tu à manger ? »

Chaque soir, Père Renard répondait :
« Pas la Petite poule rousse, hélas ! »

Alors, Mère Renard éteignait le feu sous la marmite, et elle préparait une maigre botte de pissenlits.
Mais cette fois-ci, Père Renard eut une idée de génie, en espionnant Petite poule rousse.
Et quand il rentra chez lui, il promit :
« Demain, une poule bien grasse mijotera dans notre marmite ! »

Le matin suivant, Père Renard s'équipa donc d'un solide sac en toile, d'une vieille paire de chaussettes trouées, et il se mit en route en sifflotant gaiement. Il se régalait d'avance du bon repas qui l'attendait !

Arrivé à la maisonnette de Petite poule rousse,
il frappa à la porte.
Masquant sa voix, il appela :
« J'ai une paire de chaussettes à repriser.
On m'a dit que vous étiez couturière ! »

« Je n'ouvre pas aux inconnus, répondit la petite poule méfiante. Déposez vos chaussettes sous l'auvent, et revenez les récupérer plus tard ! »

Père Renard obéit. Mais au lieu de partir, il se faufila sans bruit derrière le tas de bois et attendit…

Quand Petite poule rousse sortit ramasser les chaussettes, il se glissa dans son dos et d'un geste habile, l'emprisonna dans son sac en toile épaisse !

« Délivre-moi ! caqueta la poule en se débattant.
– Ah ça non ! C'est moi le plus malin ! » triompha Père Renard.
Il chargea le sac sur son épaule. Puis il reprit le chemin de la colline, impatient de partager son succès avec Mère Renard.
Mais plus il grimpait le sentier, plus Petite poule rousse s'agitait.
Et plus Petite poule rousse s'agitait, plus le sac semblait peser lourd…

Père Renard, tout essoufflé, s'arrêta un moment pour se reposer. Il ne tarda pas à somnoler. Petite poule rousse en profita pour tirer ses grands ciseaux de la poche de son tablier. Elle découpa la toile du sac, s'échappa, déposa une grosse pierre à sa place et à l'aide d'une longue aiguillée de fil, et elle recousit le sac avant de regagner sa maisonnette en courant.

Lorsque Père Renard s'éveilla peu après, il emporta son sac sans rien remarquer. Il arriva au refuge, où Mère Renard l'accueillit en le félicitant. « J'ai gardé l'eau de la marmite au chaud. Jette vite la poule dedans, qu'elle n'ait pas le temps de se sauver ! » Père Renard, affamé, s'empressa d'ouvrir le sac au-dessus de la marmite fumante…

Mais la grosse pierre compacte, en plongeant dans l'eau brûlante, éclaboussa tout autour d'elle, ébouillantant les renards qui glapirent de colère ! Petite poule rousse entendit leurs cris jusque chez elle.